Momies
et pyramides

Au docteur Jack Hrkach.

Cet ouvrage a été relu par Catherine Loizeau.
L'éditeur tient à la remercier pour sa précieuse collaboration.

Titre original : *Mummies and Pyramids*
© Texte, 2001, Mary Pope Osborne et Will Osborne.
© Illustrations, 2001, Sal Murdocca.
Publié avec l'autorisation de Random House Children's Books,
un département de Random House, Inc., New York, New York, USA.
Tous droits réservés.
Reproduction même partielle interdite.
© 2009, Bayard Éditions Jeunesse pour la traduction française
et les illustrations.

Réalisation de la maquette : Isabelle Southgate.
Illustration de couverture et illustrations intérieures : Philippe Masson.

Loi n° 49-956 du 16 juillet 1949
sur les publications destinées à la jeunesse.
Dépôt légal : janvier 2009 – ISBN 13 : 978-2-7470-2723-6
Imprimé en Italie

Les Carnets de la

Cabane ▦ Magique

Stèle

Sphinx de Gizeh

Boucle
d'oreille

Sarcophage

Croix
de vie

Hippopotame
en faïence

Scribe
en calcaire
peint

Tête d'Horus

Bijou en forme de cobra

Œil d'Horus

Masque funéraire

Jeu du chien et du chacal

Vase canope

Taureau sacré

Dieu Thot

Vase

Momies
et pyramides

Mary Pope Osborne
et Will Osborne

Traduit de l'américain
par Éric Chevreau

Illustré par Sal Murdocca
et Philippe Masson

bayard jeunesse

Cher lecteur,

Tu as aimé nos aventures dans « Le secret de la pyramide » ? Tu voudrais en apprendre davantage sur la vie des Égyptiens de l'Antiquité ? Alors ce guide est fait pour toi !

Comme nous sommes très curieux, nous avons cherché à découvrir comment les hommes vivaient à cette époque. Nous avons feuilleté des livres à la bibliothèque, consulté des sites sur Internet, et visité un musée consacré entièrement à l'Égypte antique. (Tu trouveras à la fin du guide la liste des documents et des sites que nous avons utilisés.)

Dans ce livre, tu trouveras nos recherches illustrées de nombreux dessins et photos. Ainsi, tu seras incollable sur cette période captivante de l'histoire.

Tu es prêt à faire un bond de plus de 5 000 ans dans le temps ? Alors, viens avec nous rencontrer ce peuple étonnant !

Tes amis
passionnés
d'histoire,
Tom et Léa.

L'Égypte antique

Pendant des milliers d'années, les momies et les pyramides ont gardé leurs secrets. Comment ont été bâties les pyramides ? Pourquoi transformait-on les corps des morts en momies ? Et que signifiaient les étranges inscriptions qui recouvraient les cercueils ?

Depuis 200 ans, les égyptologues ont appris à mieux connaître les Égyptiens de l'époque antique.

Ils travaillaient dur, mais savaient profiter de la vie. Ils aimaient l'astronomie, la sculpture et la musique. Ils vénéraient un dieu du soleil et une déesse à tête de chat. Et ils croyaient en la vie éternelle.

Ils ont donné naissance à l'une des plus anciennes civilisations du monde. Ce sont eux qui, il y a 5 000 ans, ont inventé l'une des premières formes d'écriture. Ils fabriquaient une sorte de papier élaboré à partir d'une plante, le papyrus, et, pour mesurer le temps, ils ont mis au point un calendrier très proche du nôtre.

Les Égyptiens ont bâti quelques-uns des monuments les plus impressionnants jamais construits. Leurs peintres et sculpteurs ont produit de merveilleuses œuvres d'art. Leurs médecins ont atteint un niveau de spécialisation remarquable, se consacrant à certaines parties du corps ou à un type de maladie.

Pourquoi cette brillante civilisation s'est-elle développée à cet endroit précis, il y a si longtemps ?

Pour les historiens, la réponse tient en trois lettres : N-I-L.

Le Nil. Le plus grand fleuve du monde, qui traverse le pays dans toute sa longueur.

Le Nil se jette dans la mer Méditerranée.

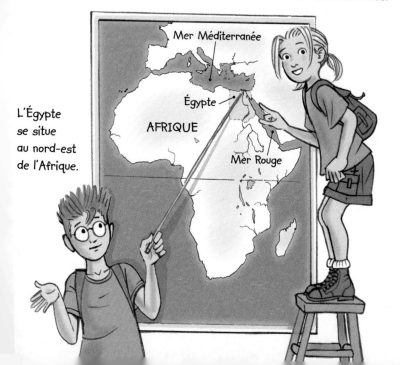

L'Égypte se situe au nord-est de l'Afrique.

Mer Méditerranée

Égypte

AFRIQUE

Mer Rouge

Les Égyptiens vivaient sur les rives du Nil. Le fleuve constituait une réserve d'eau pour boire et se laver. Il pullulait de poissons, de canards et d'oies. Les bateaux le parcouraient du nord au sud, transportant passagers et marchandises.

Mais le plus beau cadeau du Nil aux Égyptiens, c'est… la boue !

Crues et cultures

Le Sahara, immense désert de sable et de pierres où presque rien ne pousse, couvre une grande partie de l'Égypte. Ses habitants l'appelaient le Pays Rouge.

Le Sahara est le plus grand désert chaud de la planète.

Mais les champs situés sur les rives du Nil étaient constitués d'une terre noire et légère. C'était le Pays Noir, au sol très facile à cultiver.

Une crue, c'est la montée rapide du niveau d'un cours d'eau.

Pourquoi ce Pays Noir était-il si propice à l'agriculture ? C'est que chaque année, vers le mois de juillet, le Nil débordait de son lit, déposant dans les champs du limon, une boue très fertile, c'est-à-dire riche en substances nutritives pour les plantes.

En novembre, les eaux se retiraient. Les paysans labouraient et semaient cette terre très généreuse. La récolte se faisait en mars. Celle-ci permettait de nourrir toute la population, sauf les années de trop faibles ou trop fortes crues.

« Récolter » veut dire cueillir, moissonner ou ramasser les produits de la terre.

L'année agricole

Juillet : crue du Nil

Novembre : labours et semailles

Mars : récolte

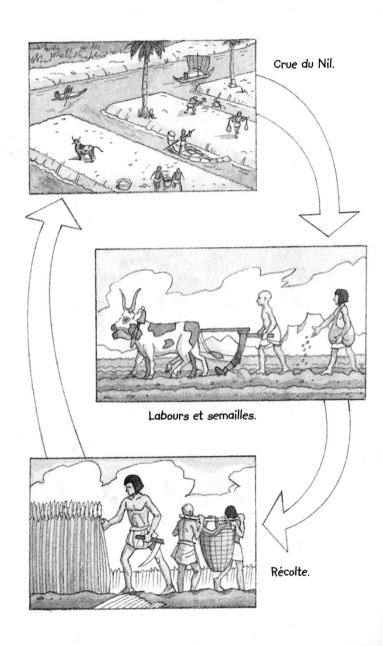

Crue du Nil.

Labours et semailles.

Récolte.

Deux royaumes

Des villages grandirent près des terres cultivables, le long du Nil. Certains villages devinrent des villes, qui finirent par former deux royaumes séparés : la Basse-Égypte au nord, là où le fleuve se jette dans la mer, et la Haute-Égypte au sud, dans la vallée du Nil.

Vers 3100 avant J.-C., il y a plus de 5 000 ans, un roi nommé Narmer réunit les deux royaumes. À l'endroit où ils se rejoignaient, il fonda une capitale, Memphis. Narmer était représenté coiffé d'une double couronne, composée de celles de la Basse-Égypte et de la Haute-Égypte.

Selon les historiens, l'avènement de Narmer marque la naissance de la grande nation égyptienne. Jusqu'à

l'an 1000 avant J.-C. environ, sous le règne de pharaons puissants, la civilisation égyptienne va continuer à se développer.

Tourne la page pour découvrir l'écriture inventée par les Égyptiens de l'Antiquité.

Par ici...

Les hiéroglyphes

Le mot « hiéroglyphe » vient du grec ancien et signifie « gravure sacrée ».

Les hiéroglyphes sont des dessins qui représentent l'univers des Égyptiens : des animaux, des plantes, des objets...

Mais, parfois, il n'y a pas de rapport entre le dessin et ce qu'il désigne.

Les Égyptiens étaient peu nombreux à savoir lire. Pour déchiffrer leur écriture, il fallait apprendre plus de 700 signes différents !

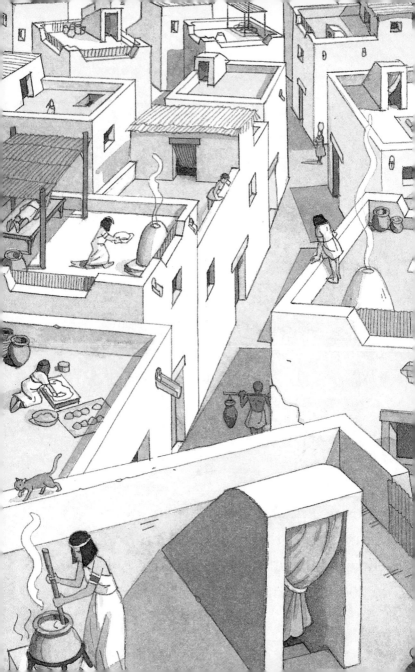

La vie quotidienne

La plupart des Égyptiens étaient des paysans. Ils vivaient dans des villages et des villes du Pays Noir, sur les rives du Nil. Leurs maisons étaient construites en briques de terre crue, un autre cadeau du fleuve.

La terre crue, c'est de la terre utilisée comme matériau de construction.

Même celles des notables étaient bâties les unes contre les autres. En effet, les Égyptiens préféraient réserver la terre à l'agriculture.

Les maisons, à un ou deux niveaux, étaient surmontées de toits-terrasses. Les familles utilisaient souvent ces toits comme cuisine et, l'été, comme chambre à coucher.

Les Égyptiens les plus pauvres vivaient dans une seule pièce. Les riches avaient des habitations plus grandes, et des serviteurs qui s'occupaient de la cuisine, du ménage et des autres tâches domestiques.

En général, les Égyptiens n'avaient pas beaucoup de meubles. Ils se contentaient de quelques tabourets,

Si tu pouvais voir à travers le toit d'une maison égyptienne, voici ce que tu découvrirais.

de petites tables et de nattes sur le sol.
Les murs étaient blanchis à la chaux
pour qu'on voie mieux les scorpions...
Les plafonds étaient hauts pour
garder la maison fraîche.

Certains Égyptiens dormaient sur
des lits en bois et en roseaux, d'autres
sur de simples nattes, leur tête posée
non sur des oreillers, mais sur… des
repose-tête en bois.

Le climat étant très chaud, on marchait pieds nus ou chaussé de légères sandales. Les vêtements, des robes longues pour les femmes et des pagnes pour les hommes, étaient en lin blanc.

Le lin est une plante dont les graines donnent aussi de l'huile.

Les Égyptiens se souciaient beaucoup de leur apparence. Perruques et maquillage étaient très appréciés des plus riches, même des hommes ! Ils portaient également des colliers, des bracelets et des bagues, aux mains et aux pieds. Ils adoraient se parfumer, et avaient l'habitude de s'enduire le corps d'huiles et de pommades odorantes.

Les enfants
et la vie de famille

D'après les archéologues, les Égyptiens aimaient beaucoup les enfants. Les œuvres d'art qu'ils ont laissées montrent souvent des parents s'amusant avec leurs fils ou leurs filles.

Au secours !
Les enfants
vivaient
tout nus !

Les enfants, garçons et filles, jouaient avec des toupies, des balles, des poupées et des animaux en bois.

Jouet en forme de cheval.

Et, comme les adultes, ils se lançaient dans de longues parties de *mehen,* un jeu de plateau qui ressemblait au jeu de l'oie.

Peinture représentant une reine jouant à un jeu de plateau.

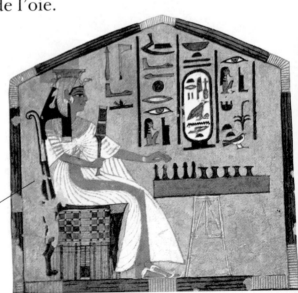

La plupart des enfants n'allaient pas à l'école. Ils habitaient chez leurs parents jusqu'à leur mariage.

Garçons et filles avaient le crâne rasé. Ils gardaient souvent une tresse sur le côté droit, appelée « tresse de l'enfance ».

Les Égyptiens ont été parmi les premiers à adopter des animaux. Ils les aimaient et les considéraient comme des membres de la famille. Il était interdit de les tuer ou de les maltraiter. À la mort d'un chat, toute la famille se rasait les sourcils en signe de deuil. Certains chats ont même été momifiés et enterrés avec leur maître.

Artisans et artistes

Ils étaient nombreux en Égypte. Les sculpteurs et les peintres décoraient les palais et les temples. Les potiers façonnaient des bols, des jarres et des statues en argile.

Les tisserands fabriquaient des vête-ments et des draps.

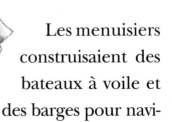

Les menuisiers construisaient des bateaux à voile et des barges pour naviguer sur le Nil.

Les bijoutiers confectionnaient des bijoux, et les tanneurs, des objets en cuir.

Les tisserands étaient souvent des tisserandes : c'était en général les femmes qui se chargeaient du tissage.

28

Les artisans égyptiens

Sculpteurs et peintres

Potiers

Tisserand(e)s

Menuisiers

Tanneurs

Bijoutiers

Les artisans étaient très habiles.
Ils se regroupaient pour travailler
dans des ateliers comme celui-ci.

Les scribes

Dans l'Égypte antique, le métier le plus respecté était celui de scribe.

Les scribes écrivaient les textes importants sur des rouleaux de papyrus, une plante poussant sur les rives du Nil.

Les scribes étaient chargés de collecter les impôts et de tenir les comptes du gouvernement, mais aussi de certains marchands. Ils contrôlaient les récoltes et les troupeaux. Ils copiaient des règlements de justice et des formules magiques ou scientifiques. Il fallait environ huit ans d'études pour apprendre la lecture et l'écriture de tous les hiéroglyphes, le calcul et les sciences, avant de devenir scribe.

C'est injuste ! Seuls les garçons pouvaient aller à l'école et devenir scribes !

Les pharaons

Le souverain de l'Égypte menait une vie très différente de celle des gens ordinaires. Il habitait un immense palais, et était servi par des centaines de domestiques.

Le pharaon était le maître absolu du peuple. Les Égyptiens le croyaient capable de contrôler le temps, la crue du Nil et l'abondance des récoltes.

Pour eux, il n'était pas seulement un être humain, mais aussi un dieu qu'il fallait vénérer.

Les animaux de l'Égypte antique

Les berges du Nil abritaient de nombreux animaux : hippopotames, crocodiles et oiseaux. Des taureaux sauvages, des lions et des chacals vivaient dans le désert. Les artisans donnaient souvent aux statuettes et aux bijoux la forme de ces animaux.

Ce poisson en verre contenait du parfum.

Cette oie en bois couve
des œufs en bois.

Ce lion renfermait de la crème
pour le visage.

Cet hippopotame était
un porte-bonheur.

La religion égyptienne

En plus de leur pharaon, les Égyptiens adoraient de nombreux dieux et déesses.

Ils se les représentaient de plusieurs façons : parfois sous les traits d'hommes ou de femmes, parfois sous l'apparence d'animaux. Le plus souvent, leurs dieux étaient mi-humains, mi-animaux.

Les Égyptiens pensaient que leurs dieux surveillaient le moindre de leurs gestes.

Reine égyptienne au côté du dieu Horus à tête de faucon.

Les temples

En l'honneur de leurs dieux, les Égyptiens bâtissaient de magnifiques temples qui abritaient des statues à leur effigie. Des prêtres étaient chargés de s'occuper de ces statues : ils les lavaient, les habillaient, et leur offraient même de la nourriture.

Il existait aussi des temples consacrés au culte du pharaon de son vivant et après sa mort.

Hormis les prêtres, les Égyptiens n'avaient pas le droit de pénétrer dans les temples ni de voir les statues sacrées. Ils restaient à l'extérieur pour dire leurs prières, puis laissaient des offrandes. Ils priaient chez eux, où ils avaient leurs propres statuettes et figurines, représentant leurs dieux et déesses préférés.

La vie après la mort

Les Égyptiens croyaient en une vie après la mort au cours de laquelle on pouvait profiter des mêmes plaisirs que sur Terre.

Pour eux, l'être humain était constitué de trois éléments indissociables : le corps ; le *ka*, la force de vie, qui maintient la personne vivante ; et le *ba*, l'âme, ce qui rend chaque être unique.

Les Égyptiens pensaient que les morts ne pouvaient renaître et survivre dans l'au-delà que si ces trois éléments étaient préservés.

C'est pourquoi ils apportaient un soin tout particulier à conserver les corps en les transformant en momies.

Le « ba » était représenté sous la forme d'un oiseau à tête humaine.

Tourne la page pour découvrir quelques dieux et déesses de l'Égypte antique.

Par ici...

Dieux et déesses de l'Égypte antique

Voici les dieux et déesses préférés des Égyptiens :

Rê, le dieu du soleil

Il a un corps d'homme et une tête de faucon. Créateur de l'univers, il parcourt le ciel à bord d'un bateau en or. Au coucher du soleil, Rê regagne le monde d'en bas, un royaume souterrain qu'il quitte chaque matin pour traverser à nouveau le ciel.

Isis et Osiris

D'après la légende, Osiris est le premier roi d'Égypte. Isis, son épouse, l'a ramené à la vie après qu'il a été assassiné par son propre frère, le jaloux et cruel Seth.

Osiris règne sur les morts. Isis est la déesse de la vie et de la fécondité et protège la famille.

Horus

Fils d'Isis et d'Osiris, c'est un dieu à tête de faucon. Pour les Égyptiens, Horus est le dernier dieu à avoir régné sur la Terre avant les pharaons.

Bastet

Fille de Rê, on la représente sous l'apparence d'un chat ou d'une femme à tête de chat. Tour à tour douce et coléreuse, Bastet est la déesse de la musique et de la danse, de la joie et de l'amour. Elle protège les foyers et veille sur les naissances.

Thot

Dieu de la lune et incarnation de la sagesse, c'est lui qui a inventé l'écriture pour l'offrir aux Égyptiens. Représenté sous les traits d'un babouin ou d'un homme à tête d'ibis, il est également le dieu de la médecine et des mathématiques.

Bes

C'est l'un des dieux préférés des Égyptiens. Petit, joufflu, grimaçant et joyeux, il a le corps et le visage d'un homme, mais les oreilles et la queue d'un lion. Il protège la maison, apportant joie et chance aux familles.

Les momies

Lorsqu'un animal ou une personne meurt, son corps se putréfie. Cela signifie que la peau, les cheveux, les muscles et d'autres parties du corps se décomposent, jusqu'à ce qu'il ne reste plus que des os.

La technique de momification permet de bien conserver les corps.

Les premières momies

Elles se sont sans doute formées par hasard.

Comme les Égyptiens avaient besoin des rives du Nil pour leurs cultures, ils

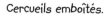

Cercueils emboîtés.

enterraient leurs morts à l'écart, dans le désert.

Le sable brûlant du désert séchait rapidement les corps. Au lieu de pourrir, ils se momifiaient !

Les Égyptiens étudièrent ces momies, et comprirent comment protéger les corps pour qu'ils puissent survivre dans l'au-delà, le pays des morts.

Seuls les Égyptiens les plus riches étaient momifiés.

Comment fabrique-t-on une momie ?

C'était un long travail. Il était effectué par plusieurs prêtres. Le prêtre en chef portait souvent un masque de chacal en l'honneur d'Anubis. Patron des embaumeurs, ce dieu à tête de chacal veillait sur la cérémonie puis accompagnait le mort dans l'au-delà.

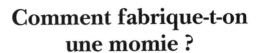

Tous les organes, à l'exception du cœur, étaient prélevés. Selon la croyance, le cœur devait rester en place pour être pesé par Anubis à la porte de l'au-delà : d'après son poids, le dieu savait si le mort avait mené une vie honnête.

La préparation du mort pour ses funérailles durait 70 jours !

Les autres organes étaient placés dans des vases, appelés vases canopes, pour être enterrés avec la momie.

Ensuite, tout en priant, les prêtres lavaient le corps avec du vin de palme et le frottaient avec de l'huile et des épices.

Puis ils le plongeaient pendant 40 jours dans une cuve remplie de natron, une sorte de sel qui séchait le corps encore plus vite que le sable.

Après quoi le corps était transporté dans un atelier appelé la « Maison de

La résine est un jus collant qui provient des arbres et des plantes.

la Beauté » et allongé sur une table inclinée. Les prêtres prononçaient des formules sacrées, puis remplissaient le corps d'épices, de sciure de bois et de linges imbibés de résine et de parfum.

Ils l'emmaillotaient ensuite dans des bandelettes de lin.

Entre les bandelettes, les prêtres introduisaient des amulettes. C'étaient des porte-bonheur censés protéger le mort dans l'au-delà.

Certaines momies ont été enterrées avec plus de cent amulettes !

Le corps était recouvert de la tête aux pieds. La couche de bandelettes pouvait atteindre plusieurs centimètres d'épaisseur. Pour finir, on l'enveloppait dans un linge, puis on posait un masque

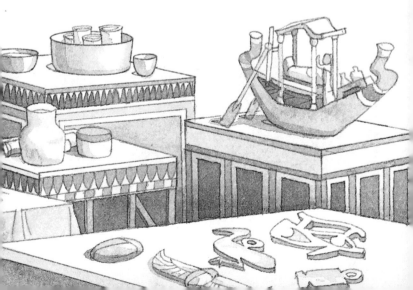

représentant le visage du mort sur la momie, pour aider le *ba* et le *ka* à la reconnaître.

Le mort pouvait alors être enfermé dans un cercueil, sur lequel on avait également peint son visage.

Les cercueils étaient très souvent décorés de dessins du défunt entrant dans l'au-delà et rencontrant les dieux, et d'inscriptions, prières et formules magiques.

Les premiers cercueils étaient rectangulaires, comme celui-ci :

Le cercueil était placé dans un coffre en pierre, le sarcophage.

Plus tard, ils ont pris la forme de la momie qu'ils renfermaient.

Parfois, des étiquettes en bois étaient attachées à la momie pour recommander le mort aux dieux.

Amulettes

Ces porte-bonheur étaient inter-
calés entre les bandelettes de lin
de la momie. Certaines étaient des
statuettes de dieux, d'autres des
symboles, comme cet escalier
menant à l'au-delà.

Souvent,
les amulettes
représentaient un
scarabée. Les Égyptiens
croyaient que, chaque
matin, un dieu à tête
de scarabée du nom de
Khepri poussait le soleil
dans le ciel. Les amu-
lettes en forme de scara-
bée, souvent représenté

avec des ailes, étaient donc un symbole de renaissance.

L'amulette connue sous le nom d'œil d'Horus était aussi très populaire. Selon la croyance, Horus avait perdu un œil dans un combat contre son oncle maléfique. Thot avait pu le lui rendre grâce à ses pouvoirs magiques.

Peint sur le couvercle d'un cercueil, l'œil d'Horus était censé protéger son occupant.

5

Les funérailles égyptiennes

Les funérailles constituaient un événement très important. Il s'agissait de guider le mort jusque dans l'au-delà.

Le jour où la momie devait rejoindre sa tombe, parents et amis formaient une procession funéraire, c'est-à-dire qu'ils défilaient en cortège. Tu te rappelles nos aventures dans *Le secret de la pyramide* ? Eh bien, c'est en

suivant une telle procession, à notre arrivée en Égypte, que nous avons trouvé la pyramide.

La procession partait de la maison du défunt. Elle était composée des membres de la famille, d'amis, de prêtres et de domestiques.

Il fallait que la procession soit la plus grande possible. La famille payait parfois des pleureuses, des femmes chargées d'accompagner et pleurer le mort. Même si elles ne l'avaient pas connu de son vivant, elles criaient, pleuraient et se jetaient de la poussière pour montrer leur chagrin. Il faut dire que les meilleures actrices recevaient une prime !

Les membres du cortège emportaient tout ce qui, selon eux, pouvait être utile au défunt dans l'au-delà : nourriture,

armes, outils, instruments de musique, jouets s'il s'agissait d'un enfant.

La procession se rendait d'abord à la Maison de la Beauté. Si la famille était riche, le cercueil était placé sur une barque funéraire en bois tirée par des bœufs.

La barque se dirigeait alors vers la tombe, pendant que les prêtres récitaient

des prières et brûlaient de l'encens.

Les funérailles devaient être parfaites, sans quoi le mort ne passerait jamais dans l'au-delà. Une fois la procession arrivée au tombeau, la cérémonie de « l'ouverture de la bouche » pouvait commencer. Un prêtre disait une prière, puis, avec une herminette, un petit outil en bois, il touchait la bouche de la momie. Ce rituel devait permettre au défunt de respirer et de s'alimenter dans l'au-delà.

Enfin, la momie était prête à rejoindre sa tombe.

Les funérailles les plus spectaculaires étaient celles des pharaons.

Tourne la page pour découvrir
ce qu'est le Livre des Morts.

Par ici...

Le Livre des Morts

Les momies étaient enterrées avec le Livre des Morts, un recueil de prières, de formules magiques et d'indications sur le monde souterrain. Ce n'était pas vraiment un livre, mais un rouleau de papyrus.

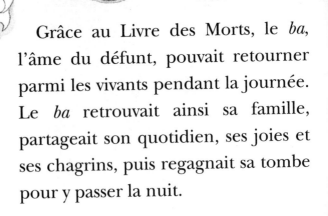

Grâce au Livre des Morts, le *ba*, l'âme du défunt, pouvait retourner parmi les vivants pendant la journée. Le *ba* retrouvait ainsi sa famille, partageait son quotidien, ses joies et ses chagrins, puis regagnait sa tombe pour y passer la nuit.

Le Livre des Morts garantissait aussi l'accès à l'au-delà, que les Égyptiens imaginaient comme un magnifique paysage de campagne qui ressemblait beaucoup... aux berges du Nil.

L'âge des pyramides

Les premiers pharaons et les notables étaient enterrés dans des tombes en briques de terre crue ou en pierre. Ces tombes au toit plat et aux murs inclinés sont appelées « mastabas », et ressemblent à des bancs gigantesques.

« Mastaba » signifie « banc » en arabe.

En fait, le sarcophage n'était pas enterré dans le mastaba, mais dessous, dans une chambre funéraire située parfois à plus de 20 mètres sous terre !

Les pyramides de Gizeh.

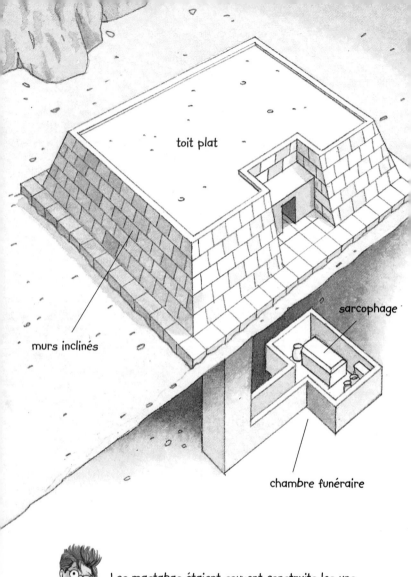

toit plat

murs inclinés

sarcophage

chambre funéraire

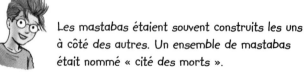

Les mastabas étaient souvent construits les uns à côté des autres. Un ensemble de mastabas était nommé « cité des morts ».

La première pyramide

Elle fut créée par un architecte qui était aussi un grand prêtre. Il s'appelait Imhotep. Son pharaon était le roi Djéser. Celui-ci désirait le caveau le plus grandiose jamais construit. Imhotep dessina alors les plans d'un immense mastaba en pierre, le plus imposant de toute l'Égypte !

Mais, quand la construction fut achevée, le roi Djéser trouva qu'elle n'était pas encore assez grande. Imhotep eut alors l'idée de construire un mastaba un peu plus petit sur le toit du premier, puis un autre au-dessus de celui-ci, et un autre encore, et un autre… Il empila ainsi six mastabas !

Imhotep venait de créer la première pyramide, d'une hauteur de plus de 60 mètres.

Après sa mort, les Égyptiens l'adorèrent comme un dieu.

Ce type de construction fut édifié pour plusieurs pharaons après le roi Djéser. Puis l'on commença à bâtir un

Les parois en forme d'escaliers symbolisent la montée du pharaon vers le ciel, où vivent les dieux.

autre type de monument, celui que nous connaissons bien aujourd'hui. La construction commençait comme celle des pyramides à degrés, mais ensuite les marches étaient comblées pour que les faces soient lisses.

Les pyramides de Gizeh

Les pyramides à faces lisses les plus célèbres sont celles de Gizeh. Au nombre de trois, elles ont été bâties il y a plus de 4 500 ans, et sont toujours debout !

Les pyramides de Gizeh sont l'une des sept merveilles du monde antique.

La plus imposante est la pyramide de Khéops, dite Grande Pyramide. Elle culmine à une hauteur de près de 150 mètres.

La Grande Pyramide fut bâtie pour un pharaon du nom de Khéops. En

La Grande Pyramide
est le plus grand monument
en pierre du monde !

Sa surface au sol équivaut
à trois terrains de football !

1954, des égyptologues ont trouvé un bateau en bois de plus de 40 mètres de long, enfoui à proximité de la pyramide. C'est sans doute la barque qui a porté la momie du roi à sa tombe.

La barque de Khéops a été entièrement reconstituée avec tout son outillage : rames, cordes et cabine.

La construction des pyramides

Elle nécessitait plusieurs années, ainsi que le travail de milliers d'ouvriers.

Les égyptologues pensent que ces derniers utilisaient des rondins de bois

pour faire rouler les énormes pierres, dont certaines pesaient plus de deux tonnes. On ne sait pas précisément comment ces pierres étaient mises en place. On pense que les ouvriers construisaient des rampes, le long desquelles ils montaient les blocs. Une fois le chantier terminé, ces rampes étaient détruites.

Pendant longtemps, on a pensé que ce travail n'était accompli que par

des esclaves. En réalité, la plupart des ouvriers étaient des hommes libres : des artisans, des manœuvres ou des paysans.

En effet, en période de crue, les paysans étaient mobilisés par le pharaon : chaque année, ils devaient consacrer plusieurs semaines à la construction des pyramides. En échange, ils recevaient de la nourriture et des boissons.

Un sphinx est une créature imaginaire à corps de lion et à tête de faucon, de bélier ou d'homme. Le Grand Sphinx monte la garde devant les pyramides de Gizeh. Il a un corps de lion et la tête du fils de Khéops, le pharaon Khéfren (dont la pyramide est située juste à côté de celle de Khéops).

Le Grand Sphinx a été sculpté dans la roche calcaire. C'est la plus grande statue antique encore debout. Il mesure 20 mètres de haut et 72 mètres de long.

Les pilleurs de tombes

Les Égyptiens souhaitaient être heureux dans l'au-delà. Ils remplissaient donc leur caveau de tout ce qui pouvait rendre agréable leur séjour dans l'autre monde.

Les momies étaient enterrées avec des vêtements et des sandales de rechange, de quoi écrire, et même des éventails pour se rafraîchir. Leurs familles prévoyaient du maquillage, des perruques, des peignes et des miroirs. Elles tenaient à ce que le disparu fasse bonne figure dans l'au-delà !

Les morts partaient également avec des provisions suffisantes pour leur voyage. On a retrouvé dans des tombes des pichets de bière et des fragments de nourriture : pain, pattes de bœuf et figues…

Les chaouabtis

Les notables voulaient être aussi bien servis dans l'au-delà qu'ils l'avaient été au cours de leur vie terrestre. Comme ils ne pouvaient tout de même pas emmener leurs domestiques dans la mort, ils faisaient confectionner des statuettes à leur effigie, les chaouabtis. Ils croyaient que les chaouabtis s'animeraient dans l'au-delà et travailleraient pour eux.

Souvent, on plaçait aussi dans la tombe une statue représentant la momie du mort. Si la momie était détruite, le *ba* et le *ka* pourraient ainsi habiter la sculpture. Enfin, des amulettes gardaient la momie et la protégeaient du mal.

Chaouabti signifie « répondant » : si le mort le sollicitait pour une corvée, le chaouabti devait répondre présent !

Les pilleurs de tombes

Les objets enfouis avec les momies avaient parfois une grande valeur. Certaines amulettes et statues, ainsi que certains cercueils étaient ornés d'or ou de pierres précieuses.

Ces trésors devaient assurer au mort une meilleure vie dans l'au-delà. Mais, siècle après siècle, des voleurs ont décidé d'en profiter ici-bas ! Ce sont les pilleurs de tombes.

Aucune pyramide connue aujourd'hui n'a échappé aux pilleurs de tombes.

Ces bandits n'ont pas hésité à ouvrir des cercueils pour arracher les amulettes placées entre les bandelettes, prendre au mort ses bijoux ou dérober les flacons de parfum et d'huile placés à ses côtés pour être utilisés dans l'au-delà.

Certains auraient même mis le feu aux momies pour éclairer le caveau pendant qu'ils travaillaient.

La plupart des tombes ont été pillées dès l'Antiquité. Pourtant, le pillage était sévèrement puni par les Égyptiens, qui le considéraient comme un crime contre les dieux. Les voleurs étaient battus et parfois condamnés à mort.

Au XIXe siècle, de nombreux collectionneurs européens se sont passionnés pour l'Égypte antique. Des objets d'art ont alors été volés pour leur être revendus.

Les peintures murales

Une chose que les brigands n'ont pas pu emporter, ce sont les peintures qui décorent les murs des tombes. Elles nous en apprennent beaucoup sur la vie dans l'Égypte antique.

On y voit des gens qui dansent ou jouent d'instruments de musique pour le mort dans l'au-delà.

Les peintures représentent aussi le disparu. Même si celui-ci était vieux et

faible au moment de sa mort, elles le montrent toujours jeune et en bonne santé. Car, pour les Égyptiens, c'est ainsi que le défunt renaissait dans l'au-delà.

La plus célèbre
des momies

Les pyramides furent construites pour honorer les pharaons et leur famille. Mais elles signalaient aussi aux pilleurs de tombes l'emplacement de prodigieux trésors.

Et, comme les pharaons accordaient plus d'importance à la sécurité de leur momie qu'à la splendeur de leur caveau, ils ont eu l'idée de faire construire des tombes secrètes pour déjouer les plans des voleurs.

Le masque de Toutankhamon.

La Vallée des Rois

C'est un endroit reculé, au fin fond du désert égyptien, et entouré de falaises rocheuses aux pentes abruptes. Près de cette vallée, on trouve une montagne qui a la forme d'une pyramide : un lieu parfait pour y cacher les tombes des pharaons.

Les gens qui travaillèrent à la construction des tombes firent tout leur possible pour les dissimuler. Ils creusèrent des chambres secrètes à même la roche, des labyrinthes, des couloirs ne menant nulle part, et de fausses portes.

Les vraies entrées furent cachées derrière de lourdes pierres. Enfin, des gardes se relayaient jour et nuit pour veiller sur l'édifice.

Les tombes secrètes

Chambres secrètes

Labyrinthes

Fausses entrées

Gardes

Ces tombes souterraines, bien cachées dans la Vallée des Rois, s'appellent des « hypogées ».

Pourtant, malgré toutes ces précautions, des pilleurs finirent par découvrir l'emplacement des tombes… et des trésors qu'elles abritaient.

La tombe de l'enfant roi

Pendant des années, les égyptologues ont fouillé la Vallée des Rois à la recherche du tombeau d'un pharaon nommé Toutankhamon.

Toutankhamon est aussi appelé l'enfant roi, car il est devenu pharaon à neuf ans, avant de mourir vers l'âge de dix-huit ans.

Grâce à l'étude de textes anciens, les historiens savaient que la momie de Toutankhamon était enfouie dans la Vallée des Rois. Mais sa tombe restait introuvable.

Un archéologue anglais du nom de Howard Carter travailla particulièrement dur pour localiser ce tombeau. En 1922, après cinq ans de recherches, il

Howard Carter

s'apprêtait à abandonner lorsqu'il fit une découverte : un escalier enterré dans un périmètre qui n'avait jamais été fouillé.

Carter et son équipe se mirent à creuser. Les marches menaient à une porte. Derrière la porte, un couloir. Et au bout du couloir… l'entrée d'un tombeau.

Carter fit un trou dans la porte. Et, à travers l'orifice, il vit… des merveilles. De l'or, partout : statues en or, coffres en or, chaises en or…

Dans une autre pièce, Carter trouva un immense sarcophage en pierre. À

l'intérieur, un cercueil. Et, à l'intérieur du cercueil, un deuxième… Puis un troisième, en or massif. Et, dedans, la momie de Toutankhamon, intacte, parée de bijoux, le visage couvert d'un masque d'or.

Il fallut à Carter près de dix ans pour étudier tout le contenu du caveau de l'enfant roi. La tombe avait déjà été visitée, mais très peu de choses avaient été volées. Les pilleurs avaient sans doute été surpris à temps.

La momie de Toutankhamon est la plus célèbre de toutes. Les trésors enterrés avec elle ont été vus par des millions de personnes. Ils sont maintenant exposés au musée du Caire, l'actuelle capitale de l'Égypte.

L'enfant roi, lui, repose à nouveau dans sa tombe de la Vallée des Rois.

Tourne la page pour découvrir quelques-uns des trésors de Toutankhamon.

Par ici...

Les trésors de l'enfant roi

Repose-tête en ivoire

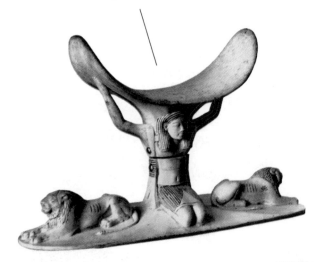

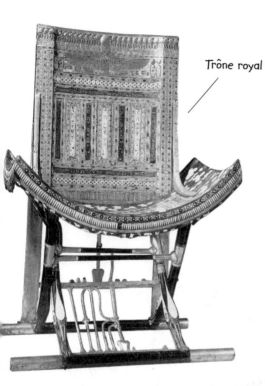

Trône royal

Dague royale

Plateau de jeu

Le cadeau
des momies

Chaque année, des millions de touristes visitent l'Égypte. Des dizaines de pyramides se dressent encore sur les berges du Nil.

La plupart d'entre elles sont vides à présent. Les trésors qu'elles renfermaient sont dispersés dans les musées du monde entier, à l'abri des dégradations et des pilleurs de tombes.

Les momies et les pyramides d'Égypte nous ont offert un cadeau extraordinaire : la connaissance.

Les hiéroglyphes, les peintures et les trésors trouvés dans les tombeaux nous ont appris comment vivaient les Égyptiens de l'Antiquité, comment ils travaillaient, comment ils se distrayaient.

Grâce à ce savoir, le passé revit pour nous.

Ce peuple croyait vivre pour l'éternité. D'une certaine façon, il y est parvenu.

Pour en savoir plus

Tu veux devenir un expert
de l'Égypte antique ?
Complète tes connaissances
en explorant d'autres sources.

Les livres

Les librairies et les bibliothèques regorgent d'ouvrages sur cette période. Suis ces quelques conseils :

1. Tu n'es pas obligé de lire le livre en entier. Consulte la table des matières ou l'index pour aller directement à ce qui t'intéresse.

2. N'oublie pas de noter le titre pour pouvoir le retrouver facilement.

3. Ne te contente pas de recopier mot pour mot. Il est plus utile de résumer avec tes propres mots ce que tu as appris si tu veux t'en souvenir.

4. Assure-toi qu'il s'agit bien d'un ouvrage documentaire. De nombreux livres racontent des histoires inventées se déroulant pendant l'Antiquité. Ce sont des récits de fiction. Ils sont agréables à lire, mais pas très utiles pour faire des recherches. Les ouvrages documentaires contiennent des informations vraies. N'hésite pas à demander à un bibliothécaire ou à ton professeur de t'aider.

Voici quelques livres intéressants écrits récemment :
• Yves Alphandari, *Momies et sarcophages*, Castor Poche Flammarion, 2001.
• Catherine Loizeau, *Les mondes antiques*, Bayard Jeunesse, 2006.
• Emily Sands, *Petit manuel d'égyptologie*, Milan Jeunesse, 2006.
• Florence Maruéjol, *Atlas de l'Égypte des pharaons*, Casterman, 2002.

Les musées

De nombreux musées exposent des momies ou des objets retrouvés dans les tombeaux. C'est passionnant d'apprendre comment les gens vivaient il y a plusieurs milliers d'années !

Lorsque tu te rends au musée, n'oublie pas de :

1. Prendre un carnet. Note ce qui t'intéresse et dessine ce qui attire ton œil.

2. Poser des questions. Il y a toujours quelqu'un du musée qui peut t'aider à t'orienter.

3. Consulter le calendrier des expositions temporaires ou des activités pour les enfants.

En Europe, voici les musées qui possèdent des collections sur l'Égypte antique :

Le musée du Louvre à Paris

Palais du Louvre
75001 Paris
01 40 20 50 50
http://www.louvre.fr
Accès gratuit pour les moins de dix-huit ans.

Le musée des Beaux-Arts de Lyon

20, place des Terreaux
69001 Lyon
04 72 10 17 40
http://www.mba-lyon.fr

Le British Museum (où tu peux voyager virtuellement dans une des momies exposées !) **et le Petrie Museum, à Londres (Royaume-Uni)**

• British Museum
Great Russell Street
London WC1B 3DG
+ 44 (0)20 7323 8299
http://www.britishmuseum.org
Accès gratuit pour tous
• Petrie Museum of Egyptian Archaeology
University College London
Malet Place
London WC1E 6BT
+ 44 (0) 20 7679 2884
http://www.petrie.ucl.ac.uk

**Les musées royaux d'Art
et d'Histoire de Bruxelles
et le musée royal de Mariemont
(Belgique)**

• Musées royaux d'Art et d'Histoire
de Bruxelles
Parc du Cinquantenaire, 10
1000 Bruxelles
+ 32 (0)2 741 72 11
http://www.kmkg-mrah.be
• Musée royal de Mariemont
Chaussée de Mariemont, 100
7140 Morlanwelz
+ 32 (0)64 21 21 93
http://www.musee-mariemont.be
Accès gratuit pour tous le premier
dimanche de chaque mois.

**Et, bien sûr, si tu vas en vacances
en Égypte, tu dois visiter
le musée du Caire !**
Place Tahrir, Le Caire
http://www.egyptianmuseum.gov.eg

Les films

La plupart des films sur l'Antiquité sont des histoires inventées. Mais quelques-uns racontent la véritable histoire des pharaons.

En voici deux :

• *Égypte antique : Pyramide – À la recherche du pharaon perdu*, France Télévisions, coffret 2 DVD, 2004.

• *Quelle aventure ! Sur les traces des pharaons*, France Télévisions, 2006.

Les CD-roms

Joue en découvrant l'Égypte des pharaons :

• *Sethi et la couronne d'Égypte*, Mindscape, 2007.

Internet

Il existe de nombreux sites sur l'Égypte antique. Assure-toi qu'ils sont mis à jour régulièrement, c'est-à-dire qu'ils contiennent des informations revues et corrigées en fonction des recherches les plus récentes.

Voici les sites que Tom et Léa ont consultés. Demande à tes parents ou à ton professeur de t'aider à naviguer sur Internet.

• http://www.musagora.education.fr /merveilles/merveillesfr/pyramide/ intro.htm

• http://www.civilisations.ca/cmc/ exhibitions/civil/egypt/egypt_f. shtml

• http://www.curiosphere.tv/ egypte/home.htm

Bonne découverte !

Mes notes

_____

_____

_____

_____

_____

_____

_____

_____

Index

Crédits iconographiques

Tu as aimé ce livre ?
Tu peux lire d'autres
Carnets de la
Cabane Magique